COMPRENDRE
LA LITTÉRATURE

FSC www.fsc.org
MIXTE
Papier issu de sources responsables
Paper from responsible sources
FSC® C105338

MARIVAUX

Le Paysan parvenu

Étude de l'œuvre

1 rue Honoré - 93500 Pantin.

ISBN 978-2-7593-1255-9

Dépôt légal : Juillet 2021

Impression Books on Demand GmbH

In de Tarpen 42

22848 Norderstedt, Allemagne

SOMMAIRE

BIOGRAPHIE DE MARIVAUX

Pierre Carlet de Chamblain de Marivaux naît le 4 février 1688. Issu d'une famille de la noblesse, il grandit en Auvergne, près de Riom, où son père exerce dans un premier temps le poste de contrôleur avant de prendre la direction de la monnaie, grâce aux influences de la famille de son épouse, plus aisée. Il commence une formation en tant qu'élève des Oratoriens. En 1710, il s'inscrit à la faculté de droit de Paris dans le but de devenir avocat, mais abandonne quelques temps plus tard, au profit de l'écriture.

A cette époque déjà, Marivaux fréquente les grands salons parisiens, comme celui de Madame de Lambert et se mêle aux milieux artistiques et intellectuels.

Son premier écrit théâtral sort en 1712, intitulé *Le père prudent et équitable, ou Crispin l'heureux fourbe*. Un an plus tard, c'est au tour de son premier roman *Les Effets surprenants de la sympathie* de voir le jour. Dans le même temps, il rallie le camp des Modernes (face aux Anciens), réuni autour du philosophe Fontenelle. A partir de 1716, Marivaux s'exerce à plusieurs genres littéraires : le roman parodique, la poésie, ou encore les chroniques journalistiques. Il reprend également des grands classiques afin de mieux les détourner. C'est le cas, par exemple, de *L'Iliade Travestie*. Un an plus tard, il rejoint le groupe des Modernes au sein de la rédaction du journal *Le Nouveau Mercure* où il restera jusqu'en 1719. Marivaux est vite considéré comme le nouveau La Bruyère pour son côté « bon moraliste ». La même année, il épouse Colombe Boulogne, dont la dot lui permet de vivre dans l'aisance. Mais en 1720, il perd tout à la banqueroute de Law et sort dans le même temps *L'Amour et la vérité*, et *Arlequin poli par l'amour*, véritable succès du théâtre italien. En revanche, *Annibal*, sa seule tragédie, est quant à elle un échec. L'auteur est à présent convaincu que l'héroïsme et les vers classiques ne lui correspondent pas.

Ruiné, il devient un homme de lettres professionnel après le décès de sa femme en 1723. Le théâtre italien de Lélio, financé par Philippe d'Orléans, devient son terrain d'expression favori et met en scène un jeu vivant et brillant. Marivaux connaîtra alors le mépris de ses contemporains, tel que Voltaire, pour son écriture en prose irrégulière dans la comédie.

En 1721, Il obtient sa licence de droit et est reçu avocat, mais n'en fera pas sa profession. Il lance un journal nommé *Le Spectateur françois* dont il est le seul rédacteur. Il endossera tous les rôles jusqu'en 1724, pour une parution de 25 numéros. Il écrit *La Surprise de l'amour*, un nouveau succès, en 1722, puis *La Double inconstance* un an plus tard. Marivaux reprend la devise de la comédie « Castigat ridendo mores » (corriger les mœurs par le rire) et révolutionne le genre de la comédie sentimentale , qui donnera naissance au terme de Marivaudage. Peu à peu, il se tourne vers la comédie philosophique, dont *L'Ile des esclaves* (1725) fait partie. Dans cette pièce, l'auteur a recours à des cadres utopiques, que l'on retrouve également dans *La Nouvelle colonie* en 1729.

Il expose également sa réflexion dans le journal *L'Indigent philosophique* en 1727 et dans *Le Cabinet du philosophe* en 1734. Il étudie les multiples aspects de l'existence dans la société cloisonnée et hiérarchisée et n'hésite pas à brosser des descriptions humoristiques de ses contemporains. *La Vie de Marianne* sera l'une des rares œuvres romanesques de l'auteur. La rédaction s'étend sur une quinzaine d'années allant de 1726 à 1741. Marivaux est à cette époque un des auteurs à avoir le plus réfléchi sur le paradoxe de l'écriture romanesque. La vie de l'héroïne est parsemée de réflexions, de méditations sur l'amour, l'amitié ou encore la sincérité et la reconnaissance sociale du mérite personnel. L'œuvre reste pourtant inachevée. L'écrivain reprend ses thèmes dans *Le Paysan parvenu* en 1735. Ce roman d'apprentissage inachevé raconte la montée de Paris et l'ascension sociale de Jacob grâce au succès amoureux. Ce récit rédigé à la première personne peut se rapprocher de *La Vie de Marianne*. Dans les deux œuvres, le héros et l'héroïne racontent chacun leur jeunesse et l'auteur montre plus clairement la psychologie humaine. Cependant, les milieux dans lesquels ils sont jetés sont différents : l'aristocratie pour l'une, la bourgeoisie pour l'autre.

Dès 1733, Marivaux fréquente le salon de Madame Claudine de Tencin, qui deviendra par la suite une amie proche. C'est grâce à elle que l'auteur est élu à l'Académie Française, contre Voltaire en 1742. Pendant près de dix ans, il y prononcera une série de discours. Dès lors, il compose des pièces destinées uniquement à la Comédie Française. Elles seront éditées, mais non jouées. En parallèle, il rédige un dialogue *L'Éducation d'un prince*. L'auteur ne connaîtra pas de renommée de son vivant. Il faudra alors attendre que Sainte-Beuve redécouvre son œuvre au XIXe siècle pour qu'elle soit enfin reconnue. Son nom a d'ailleurs donné naissance au verbe « marivauder », qui définit l'échange de propos galants et d'une grande finesse, dans le but de séduire quelqu'un. Malade depuis 1758, Marivaux décède, dans la pauvreté, d'une pleurésie le 12 mars 1753.

PRÉSENTATION DU PAYSAN PARVENU

Le Paysan parvenu de Marivaux, composé de cinq parties parues à intervalles rapprochées, a été publié pour la première fois entre 1734 et 1735 chez Pierre Prault. Ce nouveau genre, qui rompt avec les styles de l'époque, est qualifié de roman d'apprentissage (aussi nommé roman de formation, d'éducation ou encore roman-mémoires). Cet ouvrage narre l'ascension sociale de Jacob, un paysan issu d'une famille de vignerons de Champagne. En seulement sept jours, le jeune homme, qui part de rien, devient un grand bourgeois de Paris. Il se lance ensuite à la conquête de titres et de biens, grâce à sa bonne mine, son sens de la répartie et son grand esprit. Sans oublier son don de plaire aux femmes et ses judicieuses intuitions qui l'amènent à faire les bons choix. Marivaux propose ici un récit à la première personne, tout comme dans son premier roman d'apprentissage *La Vie de Marianne* (1731-1742), avec une forte importance du narrateur, qui ne cesse de revenir sur ses propos ou qui renvoie le lecteur à d'autres anecdotes. Plusieurs thèmes sont abordés dans *Le Paysan parvenu* : la critique de la noblesse et le racisme social (l'intolérance des classes), l'ascendance sociale et l'évolution psychologique du héros, l'acceptation de soi et enfin la religion. Marivaux met également en avant l'opposition entre la franchise et le mensonge, thématiques présentes dans toute l'œuvre. Dans cette œuvre majeure du XVIIIe siècle, l'auteur laisse libre court à sa liberté de pensée et développe un langage subtile et ludique, qui feront de lui le plus grand dramaturge de son temps.

RÉSUMÉ DU ROMAN

Partie I

Le narrateur veut raconter son parcours et son histoire. Il commence tout d'abord par critiquer les bourgeois et déclare directement que le seul mérite de cette élite sociale est d'être née noble. Puis, il se met à raconter son enfance : il est né dans une famille de paysans, dont le père était le fermier de son seigneur. Il est le cadet de trois enfants. Lors d'un séjour à Paris, son grand frère est tombé amoureux d'une veuve d'aubergiste avec qui il est parti s'installer. Un an après le mariage de son frère, le narrateur se rend à son tour à Paris où il est très bien accueilli. Tout le monde l'apprécie, et sa Maîtresse, avec qui il s'amuse beaucoup, lui propose de s'installer ici et de l'envoyer au collège. Jacob la remercie et tombe sous le charme de Geneviève, une des demoiselles du château, à qui il demande d'ailleurs de rédiger une lettre explicative à l'attention de son père. Dans le même temps, il déclare ses sentiments à la jeune dame, qui lui répond que s'il avait été un roi, elle aurait pu faire réflexion de ses aveux. Le jour-même, la Maîtresse commande un nouveau tailleur pour Jacob, qu'il reçoit quelques jours plus tard. Une fois en tenue, Jacob est très beau, ce qui ne laisse pas Madame indifférente. Lorsqu'ils sont seuls, ils se lancent des regards, se sourient. Jacob est alors plus attiré par la Maîtresse, au détriment de Geneviève. Cette dernière retrouve le paysan et lui confit qu'elle pourrait faire fortune à condition qu'elle aime le Maître (l'époux de sa maîtresse). Jacob lui rétorque alors que cet amour ne vaut rien, puis s'en va.

Le Maître est un homme dépensier dont la richesse l'a rendu glorieux. Il commence à offrir des cadeaux à Geneviève, intéressée, rêveuse et tentée. Le Maître offre alors de plus en plus de présents à la demoiselle. Jacob tombe sur une lettre de cette dernière dans laquelle elle écrit à sa cousine qu'elle profite des cadeaux du Maître dans l'espoir de conquérir le cœur du paysan. Elle espère le faire changer d'avis sur l'argent et que ce serait un moyen d'accélérer leur mariage. Madame finit par apprendre l'infidélité de son mari et ne s'en soucie pas. Par ailleurs, Geneviève commence à faire des dons d'argent qu'elle obtient de plus en plus facilement du Maître, à Jacob. Le Paysan fait bon usage de l'argent reçu ; avec celui-ci il apprend à écrire ainsi que l'arithmétique. Mais il se demande s'il fait bien d'accepter cet argent et quelles sont les intentions de Geneviève.

Un matin, la femme de chambre le conduit dans sa chambre, remplie d'or et d'objets de valeur. Jacob aimerait garder un petit coffre. La dame lui répond alors que ce coffre est réservé à son futur époux et qu'elle souhaite que ce soit lui. Pour essayer d'échapper à cette demande, Jacob confit que cette affaire ne plaira pas au Maître et qu'il ne veut pas le froisser. Le lendemain, le Maître convoque Jacob et il lui fait la proposition d'épouser Geneviève et de leur fournir assez d'argent pour vivre. Le Paysan, après une réflexion sur son bonheur et l'avenir, refuse. Le Maître le menace alors et ne lui laisse pas le choix. Il a vingt-quatre heures pour choisir Geneviève ou le cachot. Après cette entrevue, il croise Geneviève, qui s'empresse de lui demander quelle est sa décision. Jacob refuse et lui dit qu'elle le saura dans vingt-quatre heures. Puis, il part se réfugier dans le jardin où il croise sa Maîtresse. Cette dernière, le voyant tourmenté, lui demande ce qui ne va pas. Il raconte l'histoire et lui dit être prêt à s'enfuir. Madame lui assure qu'il n'a rien à craindre et qu'elle fera tout pour empêcher Jacob de finir en prison. Après cela, Geneviève tombe malade et reste couchée.

Alors qu'il médite dans sa chambre, un valet apprend à Jacob la mort de leur Maître. Ce décès, qui arrange quelque peu Jacob, sème le désordre dans le château. Madame ne sait comment gérer ses affaires et apprend que son mari n'avait pas bonne réputation. Ses amis ne viennent plus la voir, car sa fortune tombe en ruine. Contrainte de renvoyer tous les employés, la Maîtresse en garde néanmoins une et Jacob veut rester auprès d'elle. Elle refuse fermement. Il part en pleurant et se demande ce qu'il doit faire. Il décide de rester quelques jours de plus à Paris (son argent lui permet de vivre encore deux ou trois semaines) et apprend que la Maîtresse est entrée au couvent. Un matin, il part à la rencontre de Maître Jacques, à qui son père lui avait demandé de faire ses compliments. En chemin, il rencontre une femme qui semble se trouver mal. Après l'avoir abordée, il propose de la raccompagner chez elle afin qu'elle ne risque pas un nouvel évanouissement. Elle accepte et ils discutent ensemble sur le chemin du retour. Puis, elle lui confie qu'elle vit seule avec sa sœur et que leur domestique, ne leur convenant pas, a quitté les lieux. Elle lui propose de monter et de le présenter à sa sœur. Tandis que Jacob prend son repas dans la cuisine, il sympathise avec la servante dévote Catherine. Cette dernière part voir les deux soeurs, puis revient aux nouvelles. Jacob peut rester dans cette maison qui sera à présent sa nouvelle demeure. Il partage le quotidien avec ces dames et est surpris du peu d'appétit de ses maitresses. Mais cela est finalement faux. Derrière de faux prétextes, les dames ont en effet un féroce appétit. La religion est le sujet de discussion principal qui anime la maison. A la fin d'un repas, la sœur cadette (celle qui a rencontré Jacob) demande à parler au Paysan.

Partie II

La sœur cadette convoque Jacob après le repas. Elle le remercie et lui déclare qu'elle a convaincu sa sœur de le garder. Il verra avec Catherine pour son dû et ses missions. Au moment où il allait quitter la chambre, il se retrouve nez à nez avec le Directeur ecclésiastique venu rendre visite aux deux sœurs, qui le regarde d'un air glacial. Jacob quitte la chambre et ne peut s'empêcher d'écouter ce qu'il se dit à son propos. L'homme d'église n'a pas l'air d'apprécier Jacob et tente de convaincre les sœurs de le renvoyer car elles ne peuvent pas accorder leur confiance à un jeune homme qu'elles viennent de rencontrer. La sœur ainée approuve sans hésitation le Directeur. Mais la cadette refuse d'entendre ces propos, elle déclare avoir trop souvent obéi et fait ce que sa sœur voulait. Aujourd'hui elle veut garder Jacob car il lui semble bon. Le débat provoque une terrible dispute entre les deux sœurs. Pendant ce temps, l'ecclésiastique descend dans la cuisine y trouver Jacob. Alors qu'il tente de l'amadouer avec de belles paroles, Jacob l'affronte de front et déclare savoir exactement ce qu'il pense de lui. Gêné, le Directeur s'en va.

La cadette décide de trouver une autre maison et d'y amener Jacob et Catherine. Sur le chemin, Jacob aide sa maîtresse à marcher et lui propose un habitat, qu'elle refuse car elle se situe trop près de chez sa sœur. Ils parlent de leur enfance, se racontent des anecdotes. Ils se trouvent à présent devant une maison qui leur convient et rencontrent la propriétaire. Après un long entretien, la maison est négociée et les deux protagonistes, avant de retourner dormir chez la sœur ainée absente, se mettent d'accord sur le rôle de Jacob. La sœur cadette souhaite en effet que celui-ci prenne le nom de Monsieur de la Vallée et se fasse passer pour un cousin. En aucun cas, elle veut faire de lui un domestique. Une fois rentrée, Catherine apprend qu'elle ne fera finalement pas partie du personnel. Tôt le lendemain, le déménagement a lieu, et tous soupent chez la propriétaire, en compagnie de sa fille Agathe. Un peu plus tard, Jacob et Mademoiselle Haberd se déclarent leur amour et décident de se marier. La sœur cadette demande alors à leur hôtesse, qui se nomme Madame d'Alain, de s'occuper de tout dans la plus grande discrétion. Quelques jours plus tard, elle réunit les témoins et convives dans sa demeure et attendent le prêtre en charge du mariage. C'est alors qu'apparaît le directeur ecclésiastique, M. Doucin, à l'origine de la querelle entre les deux sœurs. L'hôtesse, après avoir eu une discussion avec ce dernier, refuse d'être complice de ce mariage et raconte la rencontre entre Jacob et Mademoiselle Haberd aux invités. Les convives, plutôt bourgeois, sont choqués par le statut social de Jacob et sont alors contre ce mariage. Les deux futurs époux sont gênés et ne savent que répondre.

Partie III

Le premier témoin étant sorti de la demeure de Mademoiselle Haberd, les autres convives font de même, car il est leur ami et camarade. Après leur départ, la maîtresse reproche à l'hôtesse d'avoir dévoilé et raconté sa vie à des inconnus, avant de finir en sanglots. Entre temps, la nouvelle cuisinière Cathos arrive. Finalement Jacob, Agathe, Mademoiselle Haberd et Madame d'Alain dinent ensemble. A la fin du repas, la maîtresse demande à Jacob la nature de son sentiment envers elle (elle cherche à être rassurée) et le prie de la laisser seule et de se retirer, car ce ne serait pas correct qu'ils restent ensemble à cette heure-ci. Le lendemain matin, alors que Jacob rend visite à sa future épouse, ils sont interrompus par l'arrivée d'un valet de chambre et demande au Paysan de le suivre parce que Monsieur le Président souhaite lui parler. Mademoiselle Haberd veut aller avec eux mais le magistrat répond que cela n'est pas possible. Jacob part donc avec l'homme et arrive devant une cour composé de trois assistants, d'un abbé, une Dame parente du Président (une dévote), le Président et la Présidente. La sœur Haberd, l'ainée, est aussi présente et commence son accusation envers Jacob pour empêcher son mariage avec sa sœur. Quand Jacob prend la parole, il convainc l'assemblée, qui donne tord à la sœur ainée. Fâchée, elle quitte les lieux. La Dame dévote demande alors à Jacob de la suivre dans une pièce voisine afin de lui remettre un billet pour sa future femme, qu'elle lui demande de rédiger. Puis elle déclare avoir de bonnes intentions pour lui et qu'elle fera en sorte de l'aider.

Sur le chemin du retour, Jacob emprunte une ruelle dans laquelle il se trouve piégé : en peu de temps, un homme qui court, laisse tomber son épée près du Paysan et ferme la porte au bout de l'impasse, enfermant Jacob. Lorsqu'il sort, les gens le voient tenant l'épée à la main. Il est accusé du crime d'un couple et part en prison. Il sort finalement le lendemain, grâce à l'aide d'un geôlier (il l'a payé pour aller porter le billet et prévenir Mademoiselle Haberd des évènements), de sa future femme et de la Dame dévote (Madame de Ferval). Une fois hors de prison (il a, entre temps, été confronté au vrai meurtrier qui a tout avoué et reconnu qu'il ne connaissait pas Jacob – les victimes ont également affirmé, avant de mourir, qu'elles ne l'avaient jamais vu et il a rendu visite aux habitants de la ruelle en question afin d'améliorer sa réputation et de mettre en avant son innocence). Le soir venu, Jacob et Mademoiselle Haberd se marient, avec des nouveaux témoins et toujours en présence de Madame d'Alain et de sa fille Agathe. Le lendemain matin, la maîtresse demande à Jacob s'il voudrait être mis en relation avec un avocat du Conseil, qui pourrait le faire travailler. Jacob accepte volontiers. Son épouse déclare que son mari a besoin de nouveaux vêtements, à commencer par une robe de chambre. Madame d'Alain, qui vient d'arriver, en a une et lui vend. A ce moment là, Monsieur Simon, un tailleur à qui l'hôtesse loue quelques chambres dans le fond de la maison, entre. Il se trouve qui lui reste un ensemble neuf, qu'il vient de confectionner pour un client qui a quitté les lieux sans en avertir qui que ce soit. Après quelques négociations, Jacob possède l'habit. Ils partent ensuite acheter un ceinturon, des bas, un chapeau et une chemise neuve. Le Paysan a une très belle allure. Avant le diner, son épouse le charge d'aller prévenir Madame de Ferval de leur mariage. En chemin, il espère que sa nouvelle apparence plaira à la Dame.

Partie IV

Monsieur de la Vallée arrive chez Madame de Ferval. S'en suit une discussion à propos de leurs sentiments. La Dame déclare à Jacob qu'ils ne doivent plus se voir ici, car les serviteurs pourraient croire à une éventuelle liaison. Elle lui propose alors de se voir régulièrement chez Madame Remy, une veuve vivant dans un faubourg et lui offre une bourse afin de payer les voitures. La Vallée accepte avec difficulté. La Dame lui promet également de le faire connaître à Monsieur de Fécour, un homme puissant de Paris. Elle lui remet donc une lettre adressée à Madame de Fécour, sa belle-sœur, dans laquelle elle fait son éloge, et est chargé de la lui porter lui-même. A ce moment là, Madame de Fécour, venue rendre visite à son amie, entre dans la pièce. Elle fait la connaissance du Paysan et rédige elle-même une lettre de recommandation qu'il devra porter à Monsieur de Fécour le lendemain. De retour chez lui, sa femme ne lui laisse pas vraiment l'occasion de lui raconter sa journée et ensemble, se couchent.

Le lendemain, La Vallée part pour Versailles. Dans la voiture qui le conduit, il se trouve en compagnie de trois hommes, qui racontent tour à tour leur histoire ; le premier parlait d'une femme qui plaidait contre son mari, le second raconte l'histoire inversée (c'est lui qui plaide contre sa femme), et le troisième est un jeune écrivain. Une fois à Versailles, les trois hommes se séparent et Jacob est conduit chez Monsieur de Fécour. Il est mal reçu, avec froideur et indifférence et ne prend pas de suite la lettre que le Paysan lui tend. Une fois la lettre en main, il déclare, d'un ton hautain et méprisant, qu'il verra ce qu'il peut faire et donne rendez-vous à l'homme le lendemain. Au même moment, une jeune femme et sa mère entrent et demandent au bourgeois les raisons du renvoi de son époux, tout en expliquant la situation délicate dans laquelle sa famille se trouve. Monsieur de Fécour déclare alors que l'emploi vient d'être donné à La Vallée. Ce dernier le refuse et demande un autre emploi. Une fois sorti, Monsieur Bono, un des Messieurs du maître, rejoint La Vallée et les deux dames pour leur donner rendez-vous le soir même et leur promettre de les aider. Après dîner, tous les quatre se retrouvent et Monsieur Bono demande à la jeune femme de raconter son histoire et comment elle s'est retrouvée dans cette situation. Elle dit qu'elle aurait pu se marier avec un homme riche, mais la lâcheté de ce dernier, a poussé son choix en faveur de son époux actuel. Le Monsieur ne comprend pas cette décision. Puis, il part et met à leur disposition sa voiture. Après un passage sur Paris, La Vallée est à l'heure pour son entretien avec Madame de Ferval chez Madame Remy.

Partie V

Monsieur de La Vallée retrouve Madame de Ferval chez Madame Remy qui le conduit dans une chambre. La dame de maison peut rester si elle veut mais elle a à faire et enferme à clef les deux amants. Dans la pièce, Madame de Ferval et La Vallée se font la cour, ils se cherchent, se complimentent, se font des éloges mutuels. Au bout d'un moment, ils entendent des cris et sortent de la chambre. Ils se trouvent nez à nez avec un homme. Ce dernier reconnaît Jacob qu'il a connu quand il travaillait pour la maîtresse du défunt Seigneur du village, ainsi que Madame de Ferval, qu'il tente depuis quelques mois d'en faire son amie. Les deux amants sont alors gênés et troublés car cet incident pourrait nuire à la réputation de la femme dévote si jamais cela s'ébruitait. La Vallée, quelque peu énervé, sort de la maison et demande à Madame Remy ce que ce Monsieur fait là alors qu'ils sont venus ici pour être en paix et se voir en secret. Elle lui répond qu'elle loue cette chambre à plusieurs personnes et que cet homme croyait que c'était la femme qu'il voyait à l'intérieur. La Vallée, qui voulait d'abord partir, demande à la Remy s'il n'y a pas une pièce voisine à la chambre afin d'écouter la conversation. Une fois dans le retranchement séparé de la chambre par une cloison, le Paysan entend tout. Monsieur Chevalier fait la cour à Madame de Ferval et tente de la persuader de l'aimer à son tour. Elle répond d'abord que c'est impossible et l'accuse même de vouloir acheter son silence (de l'avoir trouvée ici en compagnie de Jacob). Il lui répond que non et continue les compliments. Peu à peu, elle craque, ce qui provoque un cri de la part de La Vallée qui s'enfuit. Partagé entre ses émotions, il attend finalement près du carrosse de Madame de Ferval et part uniquement lorsque celle-ci quitte les lieux. Puisqu'il est encore tôt, La Vallée décide de se rendre chez Madame de Fécour pour lui donner des nouvelles de son rendez-vous à Versailles de la veille. Une fois sur place, il la découvre malade, entourée de sa sœur et incapable de le recevoir. Elle lui fixe alors un autre rendez-vous.

Il rejoint enfin son épouse chez eux, puis dinent chez leur hôtesse, qui ne cesse de le complimenter. Le lendemain matin, l'homme reste chez lui et profite des joies et des avantages de la bourgeoisie. Il se sent bien. Dans l'après-midi, il rejoint la jeune Dame de Versailles, celle pour qui il avait refusé à Monsieur de Fécour l'emploi qu'il lui proposait. En chemin, il entend un bruit, se retourne et aperçoit un homme entouré de trois autres qui le menacent et tentent de le tuer. La Vallée sort son épée et part au secours du jeune homme. Ils s'enfuient et le Paysan conduit la victime dans une cour et appelle un chirurgien. Madame d'Orville (la dame de Versailles) le reconnaît et lui demande ce qu'il s'est passé. Puis, elle le conduit chez lui et La Vallée rencontre son mari, malade. La victime demande à La Vallée, qui aurait aimé rester en compagnie de la jeune Dame, de le raccompagner. Une fois à l'extérieur, l'homme, qui est en fait un des neveux du Premier Ministre, raconte qu'il a rencontré quelques jours plus tôt, Madame la Marquise une telle qui vit près d'ici et qui est devenue son amante. Chaque jour, il la retrouve chez elle. Seulement, cette dernière doit épouser un bourgeois, car sa situation financière n'est pas au beau fixe. Le bourgeois a trouvé deux jours de suite le neveu du ministre chez la Marquise, ce qui a provoqué une certaine jalousie. Et aujourd'hui, alors qu'il se rendait chez elle, le bourgeois et deux de ses camarades qui l'attendaient, l'ont attaqué à l'épée. A la fin de son récit, Le comte d'Orsan dit à la Vallée qu'il a une dette envers lui et qu'il fera en sorte de bien le placer. Il l'invite ensuite le soir même à la Comédie. La Vallée ne sait pas trop comment agir et se sent désormais véritablement appartenir à cette classe sociale dont il ne connait ni les coutumes, ni les codes. Une fois assis, La Vallée est présenté aux amis du comte d'Orsan et reçoit des éloges de leur part. La pièce commence, c'est une tragédie dont l'actrice a ému La Vallée, qui doit en faire son portrait dans la sixième partie.

LES RAISONS DU SUCCÈS

La France est mêlée à deux guerres en 1734. Vers le mois de mai, pendant la guerre de Succession de Pologne, la France encercle la place de Philippsbourg et déploie quarante-six bataillons donc quatorze en position sur chaque berge du Rhin. Ce siège entrepris par les français contre la place-forte rhénane de Phillippsbourg s'est déroulé du 2 juin au 18 juillet, date à laquelle la France s'empare finalement du Phillipsbourg. Dans le même temps, l'Autriche, soutenue également par Charles VI, allié à la Russie et à la Saxe, entre cette année-là en guerre contre la France, dirigée à cette époque par Louis XV. Cette déclaration est la conséquence de l'engagement du roi français dans la guerre de Succession de Pologne. Cette année marque également l'infidélité du roi qui entretient des liaisons successives de 1733 à 1744 avec les sœurs Nesle notamment.

Dans le même temps, le Pape condamne les Convulsionnaires français contre les troubles mentaux et un gisement de houille est découvert à Anzin dans le nord du pays. Parallèlement, *Les Lettres philosophiques* (ou *Lettres anglaises*) rédigées par Voltaire sont condamnées à être brulées par un arrêt du Parlement. Le XVIIIe siècle, marque l'arrivée des Lumières, comprenant des philosophes et écrivains qui remettront en cause les mœurs et les codes de la société de l'époque, dans laquelle la bourgeoisie conserve encore une place très importante. Cette nouvelle vision, ou ce nouvel élan, est présent dans tous les genres et formes littéraires, que ce soit au théâtre, dans le roman, le conte philosophique, *etc*. La Révolution française a bouleversé les structures sociales et rendu plus évident le conflit entre l'individu et la société dans laquelle il faut désormais créer son propre chemin par tous les moyens. Ce siècle des Lumières donnera naissance à plusieurs nouveaux genres littéraires et à une nouvelle vision de la société, de la nature et de l'homme.

Le roman d'apprentissage (nommé également roman de

formation, d'éducation ou roman moderne) voit le jour à cette époque. Influencée par l'écrivain allemand Goethe avec *Les Années d'apprentissage de Wilhelm Meister*, cette tradition commence en France au XVIIIe siècle avec Marivaux, qui en est le précurseur grâce à ses deux romans inachevés *La Vie de Marianne* et *Le Paysan parvenu*. Voltaire trouvera également sa place dans ce courant avec notamment *L'Ingénu*. Cette nouvelle forme de roman s'oppose à la fonction première du romanesque qui est de transporter le lecteur dans un monde de rêve et d'évasion. Ici, le thème principal est le cheminement évolutif d'un héros jusqu'à l'aboutissement vers l'idéal de l'homme accompli et cultivé. Tout résulte dans la quête et l'ascension sociale de l'individu, qui part souvent de rien pour finalement arriver à une vie meilleure et riche en tout sens. Les auteurs mettent en avant une conception de la vie en elle-même qui se forge progressivement. Ce type de roman présente certains traits de caractère de l'autobiographie et de la biographie comme l'utilisation de la première personne « Je », par exemple. A travers le roman, le lecteur assiste à l'évolution d'un individu libéré des normes culturelles et sociales vers un état positif et/ou supérieur au sien. Le héros est souvent jeune, naïf et plein d'idéaux. Le roman est aussi caractérisé par les moments charnières du processus d'évolution : les regards du héros portés sur son passé ou ses réflexions. Ces moments donnent une structure au récit et contribue à clarifier l'évolution du protagoniste principal. Ils permettent dans le même temps de distinguer les différentes étapes de cette évolution et d'établir une conclusion. Il faut aussi prendre en compte la part psychologique restreinte du héros au XVIIIe siècle. Les personnages, comme dans ceux des contes de Voltaires par exemple, réfléchissent peu sur le sens de leur existence. On voit cela également dans *Le Paysan parvenu* de Marivaux, où Jacob, le personnage principal, avance et évolue de manière instinctive et hasardeuse, et non sur de profondes réflexions. Le romantisme, mouvement littéraire en vogue, influencera et bouleversera plus tard cette manière de voir et concevoir le roman d'apprentissage.

Marivaux est le réel précurseur de ce genre nouveau. Avec ses deux romans inachevés, il démontre d'ores et déjà la machine des sentiments et les tromperies du cœur. Il laisse la parole à un paysan, grâce à l'utilisation du « je », à une époque ou seuls les aristocrates avaient le privilège de prendre la plume et de narrer leur vie et où la bourgeoisie tenait une place prépondérante. L'auteur engage ici un roman enjoué et impertinent ainsi qu'une grande réflexion sur la naissance de l'individu et la transformation de la société urbaine. Il développe dans le même temps l'art de la finesse avec une subtilité du cœur et des sentiments. Ces éléments ont contribué au succès du roman, perçu comme un véritable chef d'œuvre romanesque aux yeux de beaucoup de critiques, et qui a fait de Marivaux l'un des romanciers les plus doués de son temps et surtout le seul à n'avoir jamais été critiqué par le philosophe Jean-Jacques Rousseau. Jalousé par Voltaire et accusé par ses contemporains comme l'Abbé Desfontaines (1685-1745) de « néologie » parce qu'ils refusaient de reconnaître l'originalité des analyses psychologiques, Marivaux n'a jamais eu de son vivant une renommée à la hauteur de son talent. Pourtant, lui-même et ses œuvres auront une grande influence sur de nombreux auteurs du XIXe siècle comme Stendhal, Vallès, Flaubert, Maupassant (*Bel-Ami*, *Une vie*) ou encore Balzac avec *Illusions perdues* paru entre 1836 et 1843. Le XXe siècle sera également marqué par cette influence que l'on retrouve chez des auteurs tel que Paolo Coelho et son *Alchimiste*, en 1988.

LES THÈMES PRINCIPAUX

Dans son second roman d'apprentissage *Le Paysan parvenu*, Marivaux développe plusieurs thèmes, en total harmonie et adéquation avec la société de l'époque. Dans un premier temps, il attaque et critique de manière directe et explicite la noblesse en retranscrivant un réel racisme social. Il fait également une critique de la religion, qui comme la bourgeoisie, est corrompue et hypocrite. Il montre cela grâce à une opposition entre la vérité et le mensonge, deux autres thèmes prépondérants dans l'œuvre. Puis, l'auteur brosse le portrait psychologique et l'évolution sociale de son héros, qui part de rien pour enfin devenir à son tour un noble. Le héros, Jacob, y est parvenu grâce à son charme naturel, sa « bonne mine » et sa bonne figure, mais également grâce à son franc parler, à sa joie de vivre, son bon sens, et son rapport avec les femmes. En cela Marivaux, place une nouvelle fois l'amour au cœur de son roman. Jacob, qui devient ensuite Monsieur de la Vallée, monte dans l'échelle sociale grâce à ses nombreuses rencontres avec les femmes : la maîtresse du défunt seigneur du village dans un premier temps, puis la sœur ainée Haberd, avec qui il se marie malgré leur différence d'âge, et enfin Madame de Ferval et Madame de Fécour, femmes haut placées, qui deviennent tour à tour ses amantes. L'amour est également représenté par la subtilité du langage que Marivaux emploie et donne un sens réel à l'évolution du personnage. Sans les femmes, et sans l'amour qu'elles lui donnent, Jacob n'aurait pu entrer dans ce milieu, très privilégié. Paradoxalement, c'est grâce à un homme, le comte d'Orsan, à qui La Vallée a sauvé la vie, qu'il devient finalement un vrai bourgeois.

Au XVIIIe siècle, la bourgeoisie domine encore la société. Cette élite sociale est hypocrite et corrompue. Marivaux n'hésite pas à choquer les esprits et à dénoncer ce système social en mettant en avant un racisme social et une critique de la noblesse. Pour cela, il utilise des propos directs et attaque de front, comme dans le début de la première partie : « J'ai pourtant vu nombre de sots qui n'avaient et ne connaissaient point d'autre mérite dans le monde, que celui d'être né noble, ou dans un rang distingué », « je les entendais mépriser beaucoup de gens qui valaient mieux qu'eux, et cela seulement parce qu'ils n'étaient pas gentilshommes [...] » (partie 1), « ils sont bien établis, et malgré cela, je n'en fait que des ingrats, parce que je leur ai reproché qu'ils étaient trop glorieux » (partie 1), « le terme de mon père est trop ignoble, trop grossier ; il n'y a que les petites gens qui s'en servent ; mais chez les personnes aussi distinguées que Messieurs vos fils, on supprime dans le discours toutes ces qualités triviales que donne la nature » (partie 1). A travers toute l'histoire, Marivaux emploie des métaphores, des comparaisons, des accumulations, allant même jusqu'aux insultes et au vocabulaire familier afin d'accentuer cette critique. Dans le même temps, il décrit de façon péjorative ce milieu et montre la corruption dans laquelle il est plongé : « Je te suis bien obligée de pareils sentiments, me dit-elle d'un ton badin, et si tu étais roi, cela mériterait réflexion » (partie 1), « Oh, tu ne sais pas, me dit-elle d'un air gai, mais goguenard, si je veux ma fortune est faite [...] Oui, me dit-elle, mais il y a un petit article qui m'en empêche, ce n'est qu'à cette condition que je me laisserai aimer de Monsieur, qui vient de me faire une déclaration d'amour. Cela ne vaut rien, lui dis-je, c'est de la fausse monnaie que cette fortune-là ; ne vous chargez point de pareille marchandise, et gardez la vôtre : Tenez, quand une fille s'est vendue, je ne voudrais pas la reprendre du marchand pour un liard » (partie 1), « ce maître n'était pas un homme généreux ; mais ses richesses, pour lesquelles il n'était pas né, l'avaient rendu glorieux, et sa gloire le rendait magnifique » (partie 1), « j'ai su tout le détail de ce traité impur, dans une lettre que Geneviève perdit, et qu'elle écrivait à une de ses cousines, qui ne subissait, autant que j'en pus juger, qu'au moyen d'un traité dans le même goût, qu'elle avait passé avec un riche vieillard, car cette lettre parlait de lui » (partie 1), « Elle espéra que sa fortune, quand elle en jouirait, me tenterait à mon tour, et me ferait surmonter les premiers dégouts que je lui en avais montrés » (partie 1), « quand vous en auriez jusqu'au cou, il faut en avoir par dessus la tête » (partie 1), « honteuse richesse » (partie 1), « déteste ces misérables avantages qu'on te propose » (partie 1), « Mais est-on heureux quand on a honte de l'être ? » (partie 1), « Savez-vous bien, que parmi eux, il y en a quelques-uns qu'il n'est pas nécessaire de nommer, et qui ne doivent leur fortune qu'à un mariage qu'ils ont fait avec des Geneviève » (partie 1), « il me semblait que si j'avais eu des millions, je les lui aurais donnés avec une joie infinie : aussi était-ce ma bienfaitrice » (partie 1), « mais dans ce monde, toutes les vertus sont déplacées, aussi bien que les vices. Les bons et les mauvais cœurs ne se trouvent point à leur place » (partie 1), « il en vint d'abord quelques-uns de ces indignes amis ; mais dès qu'ils virent que le feu était dans les affaires, et que la fortune de leur amie s'en allait en ruine, ils courent encore, et apparemment qu'ils avertirent les autres, car il n'en revint plus » (partie 1), « vous ne vous trompez pas, repris-je en nous mettant en marche ; il n'y a que trois ou quatre mois que je suis sorti de mon village, et je n'ai pas encore eu le temps de devenir méchant » (partie 1), « il y en avait de riches, mais ils ne me plaisaient point ; les uns étaient d'une profession que je n'aimais pas ; j'apprenais que les autres n'avaient point de conduite ; celui-ci aimait le vin, celui-là le jeu, un autre les femmes ; car il y a si peu de personnes dans le monde qui vivent dans la crainte de Dieu, si peu qui se marient pour remplir les devoirs de leur état ! Parmi ceux qui n'avaient point ces vies là, l'un était un étourdi, l'autre était sombre et mélancolique » (partie 2), « mais comme ce témoin qui sortait était leur ami et leur camarade ; et comme il avait la fierté de ne pas manger avec moi, ils crurent devoir suivre son exemple, et se montrer aussi délicats que lui » (partie 3), « venir dire toutes mes affaires devant des gens que je ne connais pas, insulter un jeune homme que vous savez que je considère, en parler comme d'un misérable, le traiter comme un valet, et encore parce qu'il n'était pas riche » (partie 3), « je sais bien que nous sommes tous égaux devant Dieu, mais devant les hommes ce n'est pas la même » (partie 3), « Moi fils d'un bon fermier de Champagne, c'est déjà ferme pour ferme, nous voilà déjà Monsieur votre père et moi aussi gredins l'un que l'autre » (partie 3), « mais comme il n'était pas aussi riche qu'elle, le père de la fille la lui refusait en mariage » (partie 3), « c'est que sans doute, la personne était riche » (partie 4), « il est vrai, Monsieur, que nous sommes naturellement libertins, ou pour mieux dire corrompus » (partie 4), « Monsieur de Fécour était dans l'abondance ; il y avait trente ans qu'il faisait bonne chère ; on lui parlait d'embarras, de besoin, d'indigence même, au mot près, et il ne savait pas ce que c'était que tout cela » (partie 4), « mais je regrette le fuyard, il valait mieux pour vous, puisqu'il était riche ; votre mari était excellent pour tuer des loups, mais on ne rencontre pas toujours des loups sur son chemin, et on a toujours besoin d'avoir de quoi vivre » (partie 4), « avoir un amant, c'est déjà une honte pour elle, et en avoir un de ce nom-là, c'en était deux » (partie 5), « quoi, vous croyez qu'il faut que vous achetiez mon silence ! » (partie 5), « Ce n'était que pour éviter la scène qui serait sans doute arrivée avec Jacob, car s'il ne m'avait pas connu, si j'avais pu figurer comme Monsieur de la Vallée, il est certain que je serai resté, et qu'il n'aurait pas été question du retranchement où je m'étais mis » (partie 5), « mais j'ai trop peu de fortune pour suivre mes goûts » (partie 5), « je me voyais si gauche, si dérouté au milieu de ce monde qui avait quelque chose de si aisé et de si leste » (partie 5).

Cette corruption et cette hypocrisie se retrouvent également dans la thématique de la religion, également critiquée par l'auteur. Les personnages sont en apparence des saints, mais lorsque l'on regarde de plus près, les intentions sont souvent mauvaises. Jacob, athée, et qui a un regard neutre, narre les évènements de manière brute et sans détour. Il se contente de retranscrire les propos tels qu'il les vit. Dès la première partie, les sœurs Haberd et Catherine, leur servante, représentent l'église et La Vallée met l'accent sur l'opposition entre pieuses et dévotes (partie 1), ainsi que dans la partie 2 avec l'arrivée du directeur ecclésiastique qui tente de convaincre les deux sœurs de ne pas garder Jacob, comparé au Démon. Le héros se demande les raisons de cette réticence et se dit que le Directeur veut le chasser par peur que la cadette se révolte et ne se soumette plus aux conseils, aux choix et aux décisions, et oublie ainsi l'autorité de l'homme d'église. Les termes employés sont négatifs et le système est dénoncé : « tons dévots et pathétiques » (partie 2), « elle serait toujours en commerce avec ma sœur, qui est naturellement curieuse (sans compter que toutes les dévotes le sont ; elles se dédommagent des péchés qu'elles ne font pas par le plaisir de savoir les péchés des autres) » (partie 2), « Ta fermeté me rassure, je vois bien que c'est Dieu qui te la donne, c'est lui qui conclut tout ceci », « je le priai même plus qu'à l'ordinaire, car on aime tant Dieu, quand on a besoin de lui » (partie 3), « je ne parle jamais que des dévots, je mets toujours les pieux à part, ceux-ci n'ont point de bile, la piété les en purge » (partie 3), « quel plaisir de frustrer les droits du diable, et de pouvoir sans péché être aussi aise que les pêcheurs » (partie 4), « il fallait être moine, ou du moins prêtre ou bigote comme elle, pour être convié chez moi » (partie 4), « qu'est ce que c'est donc que cette piété hétéroclite, disais-je » (partie 4), « mon dieu, conservez-moi les douleurs que vous m'avez procurées par le Saint Mariage, ou je vous rends mes actes de grâce de ces douceurs que je goûte en tout bien et tout honneur par votre Sainte Volonté, dans l'Etat où vous m'avez mise » (partie 5), « les dévots n'aiment jamais tant Dieu que lorsqu'ils en ont obtenu leurs petites satisfactions temporelles » (partie 5).

Ces deux thèmes sont à rapprocher de l'opposition mensonge/vérité présent dans tout le roman. Le champ lexical est riche et fort - « dissimulée », « de cacher et de tâcher », « déguiser la vérité », « artifice » (partie 1) - et appuie la réflexion de l'auteur : « c'était la plus intrépide menteuse que j'aie connue » (partie 2), « et une exclamation digne de la part hypocrite qu'elle prenait à notre chagrin » (partie 3), « de celles qui déshonorent le plus une dévote, qui décident qu'elle est une hypocrite, une franche friponne » (partie 4) (partie mensonge), « quoi de franc dans ma physionomie » (partie 1), « la franchise avec elle tenait lieu de politesse » (partie 1), « déjà je tâchais d'éviter de dire mon sentiment sur son chapitre, avec un embarras maladroit et ingénu qui ne faisait pas d'éloge de ladite personne » (partie 1), « qui va quelquefois au-delà de la vérité » (partie 1), « d'une manière si honnête » (partie 1), « tout Paysan que vous êtes, vous ne manquez pas d'esprit » (partie 1), « il n'y a rien de si beau que la fidélité », « c'était l'aveu de la vérité qui s'arrêtait au passage » (partie 1), « m'aurais-tu abusée, quand tu m'as fait espérer qu'un peu de sincérité nous raccommoderait ensemble ? Non, lui dis-je, j'aurais juré que je vous parlais loyalement » (partie 1), « vous me paraissez un honnête garçon » (partie 1), « une si honnête façon de penser » (partie 1), « toute réjouie de la franchise que je mettais dans mes louanges » (partie 1), « il y a des vérités contre lesquelles on est bien en garde » (partie 2), « Oui, dit-il, nous nous valons bien, l'un pour demander à boire, et l'autre pour en apporter : mais ne bougez-pas, je n'ai pas soif ! » (partie 2) (partie vérité/franchise).

Parallèlement, Marivaux brosse le portrait psychologique du héros : « la joie de me voir en si bonne posture, me rendit la physionomie plus vive et y jeta comme un rayon de bonheur à venir », « et ce sont là d'assez bonnes qualités dans un garçon qui cherche fortune avec cette humeur-là » (partie 1), « J'ai de bonnes intentions pour vous » (partie 3), « je serai d'avis que tu t'instruises un peu auparavant, je connais un avocat au Conseil chez qui tu pourras travailler, veux-tu que je lui en parle ? » (partie 3), « il te faut une robe de chambre » (partie 3), « cette soie rouge me flatta ; une doublure de soie, quel plaisir et quelle magnificence pour un Paysan » (partie 3), « et avant le diner, j'eus la joie de voir Jacob métamorphosé en cavalier avec la doublure de soie, avec le galant bord d'argent au chapeau, et l'ajustement d'une chevelure qui me descendait jusqu'à la ceinture » (partie 3), « et en me disant intérieurement : tu es un honnête homme » (partie 4). Dans le même temps, il montre son ascendance sociale au sein de la société. Dans un premier temps fils d'un Paysan qui vit à la campagne, il fait fortune à Paris et fréquente des femmes et hommes élitistes, pour enfin devenir Monsieur à son tour : « c'est au vin de mon pays, que je dois le commencement de ma fortune » (partie 1), « à l'égard de ses fils, mes secours les ont mis aujourd'hui en posture d'honnêtes gens » (partie 1), « je te conseille de rester à Paris, tu y deviendras quelque chose » (partie 1), « ce Paysan deviendra dangereux, je vous en avertis » (partie 1), « le soir du même jour on m'appela pour faire prendre ma mesure par le tailleur de la maison, et je ne saurais dire combien ce petit événement enhardit mon imagination et la rendit sémillante ! » (partie 1), « je veux dire qu'ils composaient un trésor pour un homme qui n'avait jamais que des sous marqués dans sa poche » (partie 1), « mais je ne savais pas encore faire des réflexions si délicates, mes principes de probité étaient encore fort courts ; et il y a apparence que Dieu me pardonna ce gain, car j'en fis un très bon usage, il me profita beaucoup : j'en appris à écrire et l'arithmétique, avec quoi en partie je suis parvenu dans la suite » (partie 1), « Madame t'a mis sous sa protection » (partie 1), « comment donc, il n'y a que deux ou trois mois que tu es ici, et tu as déjà une conquête ? » (partie 1), « Je voyais que du premier saut que je faisais à Paris, moi qui n'avait encore aucun talent, aucune avance, qui n'étais qu'un pauvre Paysan, et qui me préparais à labourer ma vie pour acquérir quelque chose (et ce quelque chose dans mes espérances éloignées, n'entrait même en aucune comparaison avec ce qu'on m'offrait), je voyais, dis-je, un établissement certain qu'on me jetait à la tête » (partie 1), « je savourais la proposition, cette fortune subite mettait mes esprits en mouvement ; le cœur m'en battait, le feu m'en montait au visage » (partie 1), « voilà que vous me faîtes un Monsieur » (partie 2), « je serai Monsieur de la Vallée son fils, si cela vous convient », « prends le prénom de la Vallée, et sois mon parent ; tu as assez bonne mine pour cela » (partie 2), « C'est ici où ma fortune commence : serviteur au nom de Jacob » (partie 2), « j'apercevais un avenir très riant et très prochain, ce qui devait réjouir l'âme d'un Paysan de mon âge, qui presque au sortir de la charrue pouvait sauter tout d'un coup au rang honorable de bon bourgeois de Paris » (partie 2), « je voyais une assez belle carrière ouverte à mes galanteries si j'en avais voulu tenter le succès » (partie 2), « tu es celui à qui Dieu veut que je m'attache ; tu es l'homme que je cherchais, avec qui je dois vivre, et je me donnerai à toi » (partie 2), « c'est que nous allons nous marier, Monsieur de la Vallée que vous voyez, et moi » (partie 2), « aujourd'hui serviteur, demain maître » (partie 2), « afin qu'il te place à Paris, et te mette en chemin de t'avancer ; il n'y a point pour toi de voie plus sûre que celle-là pour aller à la fortune » (partie 4), « Oui, Monsieur, il faut que Monsieur de Fécour vous place, je n'y songeais pas, mais il est à Versailles pour quelques jours » (Partie 4), « voilà des aventures bien rapides, j'en étais étourdi moi-même », « figurez-vous ce que c'est qu'un jeune rustre comme moi, qui dans le seul espace de deux jours, est devenu le mari d'une fille riche, et l'amant de deux femmes de condition » (partie 4), « J'allais à Versailles » (partie 4), « je m'y délectai dans le plaisir de me retrouver tout à coup un maître de maison : j'y savourai ma fortune, j'y goutai mes aises [...] », « c'était de Jacob que Monsieur de La Vallée empruntait toute sa joie » (partie 5), « Ce petit Paysan, ce petit misérable qui se trouvait si heureux d'avoir changé d'état » (partie 5), « J'étais un homme de mérite, à qui la fortune commençait à rendre justice » (partie 5), « Ce fut là pourtant, l'origine de ma fortune et je ne pouvais guère commencer ma course avec plus de bonheur » (partie 5), « j'aurais fort bien pu cinq mois auparavant tenir la portière ouverte de ce carrosse que j'occupais avec lui » (partie 5).

Cette évolution, cette transgression passe par l'acceptation de soi. En effet, Jacob n'a jamais eu honte de ce qu'il est, de sa famille et de ses origines. Cette acceptation l'aide à gravir les échelons et c'est grâce à elle que les autres lui font confiance au premier coup d'œil : « je n'étais pas honteux des bêtises que je disais, pourvu qu'elles fussent plaisantes, car à travers l'épaisseur de mon ignorance, je voyais qu'elles ne nuisaient jamais à un homme, qui n'était pas obligé d'en savoir davantage » (partie 1), « je sentis moi-même que j'avais plus d'esprit qu'à l'ordinaire » (partie 1), « j'étais bel homme, j'étais bien fait, j'avais des grâces naturelles, et tout cela au premier coup d'œil » (partie 3).

A travers *Le Paysan parvenu*, Marivaux donne un nouveau souffle au roman au XVIIIe siècle et renverse les codes littéraires, au profit d'un roman, qui se veut d'apprentissage, et qui influencera les siècles à venir.

ÉTUDE DU MOUVEMENT LITTÉRAIRE

La philosophie et la littérature connaissent un énorme foisonnement au XVIIIe siècle que ce soit au niveau des idées, des idéologies, des mœurs, des croyances, de la politique ou de la religion. Tout est absolument remis en cause par les philosophes et écrivains de l'époque qui veulent « éclairer » les citoyens. Il y a également une réelle volonté de populariser la lecture et le savoir (grâce notamment à l'arrivée de l'*Encyclopédie*) et de réduire les inégalités sociales. La culture et la littérature ne doivent plus être uniquement réservées aux bourgeois. Au cours de ce siècle des Lumières, beaucoup de genres littéraires apparaissent comme l'essai, la critique, le discours, les dialogues argumentatifs et délibératifs, les lettres, le pamphlet, le conte philosophique, le roman autobiographique et épistolaire. Le roman d'apprentissage se développe dans le même temps. D'origine allemande, c'est véritablement Marivaux, connu à l'époque surtout pour ses nombreuses pièces de théâtre et son thème principal de l'amour, présent dans toute son oeuvre, qui introduit et développe ce nouveau genre au cours du XVIIIe siècle. Il n'est plus alors question de faire l'éloge de la bourgeoisie. Au contraire, l'auteur prône un racisme social et une critique sincère et singulière de cette élite au détriment des classes plus modestes, ce qui donne une tonalité nouvelle pour l'époque.

Avec la publication de ses deux œuvres inachevées, *La Vie de Marianne* et *Le Paysan parvenu*, il rompt totalement avec le roman traditionnel. Le lecteur assiste à l'évolution social d'un personnage, naïf et la plupart du temps jeune, qui est confronté à différents domaines du monde, desquels il tire un apprentissage. Il découvre dans le même temps les grands évènements de l'existence de l'homme comme l'amour, la haine, l'altérité ou encore la mort. Le roman d'éducation reprend certains traits de l'autobiographie comme l'utilisation du « je ». Marivaux met en avant l'écart temporel et social entre le héros et le narrateur, qui autorise un regard amusé et complice sur soi-même. L'optimisme est naturellement présent, tout comme la mise à jour des roueries intimes et la trajectoire qui permet à l'individu apparemment démuni et isolé de trouver sa place, de s'éduquer et de se reconnaître dans l'épreuve du jeu social, avant de se retirer de la mascarade pour mieux se retrouver et se dévoiler. L'écrivain mêle dans le même temps son thème fétiche de l'amour dans ses deux romans de formation et permet à un paysan de prendre la parole pour narrer son histoire, dans une société où seuls les aristocrates ont ce privilège. Ce genre se développera ensuite aux XIXe et XXe siècle et reste aujourd'hui un genre populaire qui classe Marivaux comme son précurseur.

DANS LA MÊME COLLECTION
(par ordre alphabétique)

- **Anonyme**, *La Farce de Maître Pathelin*
- **Anouilh**, *Antigone*
- **Aragon**, *Aurélien*
- **Aragon**, *Le Paysan de Paris*
- **Austen**, *Raison et Sentiments*
- **Balzac**, *Illusions perdues*
- **Balzac**, *La Femme de trente ans*
- **Balzac**, *Le Colonel Chabert*
- **Balzac**, *Le Lys dans la vallée*
- **Balzac**, *Le Père Goriot*
- **Barbey d'Aurevilly**, *L'Ensorcelée*
- **Barbey d'Aurevilly**, *Les Diaboliques*
- **Bataille**, *Ma mère*
- **Baudelaire**, *Les Fleurs du Mal*
- **Baudelaire**, *Petits poèmes en prose*
- **Beaumarchais**, *Le Barbier de Séville*
- **Beaumarchais**, *Le Mariage de Figaro*
- **Beauvoir**, *Mémoires d'une jeune fille rangée*
- **Beckett**, *Fin de partie*
- **Brecht**, *La Noce*
- **Brecht**, *La Résistible ascension d'Arturo Ui*
- **Brecht**, *Mère Courage et ses enfants*
- **Breton**, *Nadja*
- **Brontë**, *Jane Eyre*
- **Camus**, *L'Étranger*
- **Carroll**, *Alice au pays des merveilles*
- **Céline**, *Mort à crédit*
- **Céline**, *Voyage au bout de la nuit*

- **Chateaubriand**, *Atala*
- **Chateaubriand**, *René*
- **Chrétien de Troyes**, *Perceval*
- **Cocteau**, *Les Enfants terribles*
- **Colette**, *Le Blé en herbe*
- **Corneille**, *Le Cid*
- **Crébillon fils**, *Les Égarements du cœur et de l'esprit*
- **Defoe**, *Robinson Crusoé*
- **Dickens**, *Oliver Twist*
- **Du Bellay**, *Les Regrets*
- **Dumas**, *Henri III et sa cour*
- **Duras**, *L'Amant*
- **Duras**, *La Pluie d'été*
- **Duras**, *Un barrage contre le Pacifique*
- **Flaubert**, *Bouvard et Pécuchet*
- **Flaubert**, *L'Éducation sentimentale*
- **Flaubert**, *Madame Bovary*
- **Flaubert**, *Salammbô*
- **Gary**, *La Vie devant soi*
- **Giraudoux**, *Électre*
- **Giraudoux**, *La Guerre de Troie n'aura pas lieu*
- **Gogol**, *Le Mariage*
- **Homère**, *L'Odyssée*
- **Hugo**, *Hernani*
- **Hugo**, *Les Misérables*
- **Hugo**, *Notre-Dame de Paris*
- **Huxley**, *Le Meilleur des mondes*
- **Jaccottet**, *À la lumière d'hiver*
- **James**, *Une vie à Londres*
- **Jarry**, *Ubu roi*
- **Kafka**, *La Métamorphose*
- **Kerouac**, *Sur la route*
- **Kessel**, *Le Lion*

- **La Fayette**, *La Princesse de Clèves*
- **Le Clézio**, *Mondo et autres histoires*
- **Levi**, *Si c'est un homme*
- **London**, *Croc-Blanc*
- **London**, *L'Appel de la forêt*
- **Maupassant**, *Boule de suif*
- **Maupassant**, *Le Horla*
- **Maupassant**, *Une vie*
- **Molière**, *Amphitryon*
- **Molière**, *Dom Juan*
- **Molière**, *L'Avare*
- **Molière**, *Le Malade imaginaire*
- **Molière**, *Le Tartuffe*
- **Molière**, *Les Fourberies de Scapin*
- **Musset**, *Les Caprices de Marianne*
- **Musset**, *Lorenzaccio*
- **Musset**, *On ne badine pas avec l'amour*
- **Perec**, *La Disparition*
- **Perec**, *Les Choses*
- **Perrault**, *Contes*
- **Prévert**, *Paroles*
- **Prévost**, *Manon Lescaut*
- **Proust**, *À l'ombre des jeunes filles en fleurs*
- **Proust**, *Albertine disparue*
- **Proust**, *Du côté de chez Swann*
- **Proust**, *Le Côté de Guermantes*
- **Proust**, *Le Temps retrouvé*
- **Proust**, *Sodome et Gomorrhe*
- **Proust**, *Un amour de Swann*
- **Queneau**, *Exercices de style*
- **Quignard**, *Tous les matins du monde*
- **Rabelais**, *Gargantua*
- **Rabelais**, *Pantagruel*

- **Racine**, *Andromaque*
- **Racine**, *Bérénice*
- **Racine**, *Britannicus*
- **Racine**, *Phèdre*
- **Renard**, *Poil de carotte*
- **Rimbaud**, *Une saison en enfer*
- **Sagan**, *Bonjour tristesse*
- **Saint-Exupéry**, *Le Petit Prince*
- **Sarraute**, *Enfance*
- **Sarraute**, *Tropismes*
- **Sartre**, *Huis clos*
- **Sartre**, *La Nausée*
- **Senghor**, *La Belle histoire de Leuk-le-lièvre*
- **Shakespeare**, *Roméo et Juliette*
- **Steinbeck**, *Les Raisins de la colère*
- **Stendhal**, *La Chartreuse de Parme*
- **Stendhal**, *Le Rouge et le Noir*
- **Verlaine**, *Romances sans paroles*
- **Verne**, *Une ville flottante*
- **Verne**, *Voyage au centre de la Terre*
- **Vian**, *J'irai cracher sur vos tombes*
- **Vian**, *L'Arrache-cœur*
- **Vian**, *L'Écume des jours*
- **Voltaire**, *Candide*
- **Voltaire**, *Micromégas*
- **Zola**, *Au Bonheur des Dames*
- **Zola**, *Germinal*
- **Zola**, *L'Argent*
- **Zola**, *L'Assommoir*
- **Zola**, *La Bête humaine*
- **Zola**, *Nana*
- **Zola**, *Pot-Bouille*